KV CO-ASF-802

Мои любимые стихи

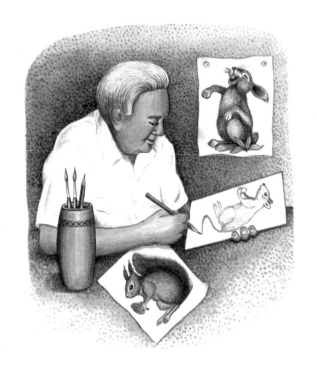

Рисовал Г.Д. Целищев

Дивная пора

Лучшие стихотворения русских поэтов о природе

Москва

ЭКСМО

2008

ВЕСНА

Ф. И. Тютчев

* * *

Зима недаром злится,
Прошла её пора, —
Весна в окно стучится
И гонит со двора.
И всё засуетилось,
Всё гонит зиму вон —
И жаворонки в небе
Уж подняли трезвон.
Зима ещё хлопочет
И на весну ворчит,
Та ей в глаза хохочет
И пуще лишь шумит...
Взбесилась ведьма злая
И, снегу захватя,
Пустила, убегая,
В прекрасное дитя...
Весне и горя мало:
Умылася в снегу
И лишь румяней стала
Наперекор врагу.

А. С. Пушкин

(Из романа «Евгений Онегин»)

Гонимы вешними лучами,
С окрестных гор уже снега
Сбежали мутными ручьями
На потоплённые луга.
Улыбкой ясною природа
Сквозь сон встречает утро года;

8

Синея, блещут небеса.
Ещё прозрачные, леса
Как будто пухом зеленеют.
Пчела за данью полевой
Летит из кельи восковой.
Долины сохнут и пестреют;
Стада шумят, и соловей
Уж пел в безмолвии ночей.

Ф. И. Тютчев

ВЕСЕННИЕ ВОДЫ

Ещё в полях белеет снег,
А воды уж весной шумят —
Бегут и будят сонный брег,
Бегут, и блещут, и гласят...

Они гласят во все концы:
«Весна идёт, весна идёт!
Мы молодой весны гонцы,
Она нас выслала вперёд!»

Весна идёт, весна идёт!
И тихих, тёплых майских дней
Румяный, светлый хоровод
Толпится весело за ней.

С. Д. Дрожжин

* * *

Пройдёт зима холодная,
Настанут дни весенние,
Теплом растопит солнышко,
Как воск, снега пушистые.
Листами изумрудными
Леса зазеленеются,
И вместе с травкой бархатной
Взойдут цветы душистые.

А.А. Блок

ВОРОНА

Вот ворона на крыше покатой,
Так с зимы и осталась лохматой...

А уж в воздухе — вешние звоны,
Даже дух занялся у вороны...

Вдруг запрыгала вбок глупым скоком,
Вниз на землю глядит она боком:

Что белеет под нежною травкой?
Вон желтеют под серою лавкой

Прошлогодние мокрые стружки...
Это всё у вороны игрушки,

И уж так-то ворона довольна,
Что весна и дышать
        ей привольно!..

С.А. Есенин

ЧЕРЁМУХА

Черёмуха душистая
С весною расцвела
И ветки золотистые,
Что кудри, завила.
Кругом роса медвяная
Сползает по коре,
Под нею зелень пряная
Сияет в серебре.

А рядом, у проталинки,
В траве, между корней,
Бежит, струится маленький
Серебряный ручей.
Черёмуха душистая,
Развесившись, стоит,
А зелень золотистая
На солнышке горит.
Ручей волной гремучею
Все ветки обдаёт
И вкрадчиво под кручею
Ей песенки поёт.

А. А. Блок

НА ЛУГУ

Леса вдали виднее,
Синее небеса,
Заметней и чернее
На пашне полоса,
И детские звончее
Над лугом голоса.

Весна идёт сторонкой,
Да где ж сама она?
Чу, слышен голос звонкий,
Не эта ли весна?
Нет, это звонко, тонко
В ручье журчит волна...

С.Д. Дрожжин

ВЕСЕННЕЕ ЦАРСТВО

Вернулось царство вешних дней:
Звенит по камушкам ручей,
Река шумит,
И с криком стая журавлей
Уж к нам летит.

20

Смолою пахнет от лесов,
Краснея, почки лепестков
Вздохнули вдруг,
И миллионами цветов
Покрылся луг.

И.С. Никитин

* * *

Полюбуйся: весна наступает,
Журавли караваном летят,
В ярком золоте день утопает,
И ручьи по оврагам шумят...
Скоро гости к тебе соберутся,
Сколько гнёзд понавьют, посмотри!
Что за звуки, за песни польются
День-деньской от зари до зари!

С. Д. Дрожжин

* * *

Распустились почки, лес зашевелился,
Яркими лучами весь озолотился.

На его окраине из травы душистой
Выглянул на солнце ландыш серебристый,

И открылись кротко от весенней ласки
Милой незабудки голубые глазки.

Н. А. Некрасов

ЗЕЛЁНЫЙ ШУМ

Идёт-гудёт Зелёный Шум,
Зелёный Шум, весенний шум!

Играючи расходится
Вдруг ветер верховой:
Качнёт кусты ольховые,
Подымет пыль цветочную,

Как облако; всё зелено —
И воздух и вода!

Идёт-гудёт Зелёный Шум,
Зелёный Шум, весенний шум!

Как молоком облитые,
Стоят сады вишнёвые,
Тихохонько шумят;

Пригреты тёплым солнышком,
Шумят повеселелые
Сосновые леса;
А рядом новой зеленью
Лепечут песню новую
И липа бледнолистая,
И белая берёзонька
С зелёною косой!

Шумит тростинка малая,
Шумит высокий клён...
Шумят они по-новому,
По-новому, весеннему...

Идёт-гудёт Зелёный Шум,
Зелёный Шум, весенний шум!

И. А. Бунин

* * *

Крупный дождь в лесу зелёном
Прошумел по стройным клёнам,
По лесным цветам...
Слышишь? — Звонко песня льётся,
Беззаботный раздаётся
Голос по лесам.

Крупный дождь в лесу зелёном
Прошумел по стройным клёнам,
Глубь небес ясна...
В каждом сердце возникает, —
И томит, и увлекает
Образ твой, Весна!

29

Ф.И. Тютчев

ВЕСЕННЯЯ ГРОЗА

Люблю грозу в начале мая,
Когда весенний первый гром,
Как бы резвяся и играя,
Грохочет в небе голубом.
Гремят раскаты молодые...
Вот дождик брызнул, пыль летит,
Повисли перлы дождевые,
И солнце нити золотит.
С горы бежит поток проворный,
В лесу не молкнет птичий гам,
И гам лесной, и шум нагорный —
Всё вторит весело громам...

ЛЕТО

С.Д. Дрожжин

* * *

Всё зазеленело...
Солнышко блестит,
Жаворонка песня
Льётся и звенит.

Бродят дождевые
В небе облака,
И о берег тихо
Плещется река.

Весело с лошадкой
Пахарь молодой
Выезжает в поле,
Ходит бороздой.

А над ним всё выше
Солнышко встаёт,
Жаворонок песню
Веселей поёт.

А. Н. Майков

ЛЕТНИЙ ДОЖДЬ

«Золото, золото падает с неба!» —
Дети кричат и бегут за дождём...
«Полноте, дети, его мы сберём,
Только сберём золотистым зерном
В полных амбарах душистого хлеба!»

А. А. Фет

* * *

Я пришёл к тебе с приветом,
Рассказать, что солнце встало,
Что оно горячим светом
По листам затрепетало;

Рассказать, что лес проснулся,
Весь проснулся, веткой каждой,
Каждой птицей встрепенулся
И весенней полон жаждой...

С. А. Есенин

* * *

Колокол дремавший
Разбудил поля,
Улыбнулась солнцу
Сонная земля.

Понеслись удары
К синим небесам,
Звонко раздаётся
Голос по лесам.

Скрылась за рекою
Белая луна,
Звонко побежала
Резвая волна.

Тихая долина
Отгоняет сон,
Где-то за дорогой
Замирает звон.

41

И. А. Бунин

* * *

Ещё от дома на дворе
Синеют утренние тени,
И под навесами строений
Трава в холодном серебре;
Но уж сияет яркий зной,
Давно топор стучит в сарае,
И голубей пугливых стаи
Сверкают снежной белизной.

С зари кукушка за рекою
Кукует звучно вдалеке,
И в молодом березняке
Грибами пахнет и листвою.
На солнце светлая река
Трепещет радостно, смеётся,
И гулко в роще отдаётся
Над нею ладный стук валька.

И. А. Бунин

ДЕТСТВО

Чем жарче день, тем сладостней в бору
Дышать сухим смолистым ароматом,
И весело мне было поутру
Бродить по этим солнечным палатам!

Повсюду блеск, повсюду яркий свет,
Песок — как шёлк... Прильну к сосне корявой
И чувствую: мне только десять лет,
А ствол — гигант, тяжёлый, величавый.

Кора груба, морщиниста, красна,
Но так тепла, так солнцем вся прогрета!
И кажется, что пахнет не сосна,
А зной и сухость солнечного света.

С. А. Есенин

* * *

По лесу леший кричит на сову.
Прячутся мошки от птичек в траву.
Ау!

Спит медведиха, и чудится ей:
Колет охотник острогой детей.
Ау!

Плачет она и трясёт головой:
— Детушки-дети, идите домой.
Ау!

Звонкое эхо кричит в синеву:
— Эй ты, откликнись, кого я зову!
Ау!

С. А. Есенин

С ДОБРЫМ УТРОМ!

Задремали звёзды золотые,
Задрожало зеркало затона,
Брезжит свет на заводи речные
И румянит сетку небосклона.

Улыбнулись сонные берёзки,
Растрепали шёлковые косы.
Шелестят зелёные серёжки,
И горят серебряные росы.

У плетня заросшая крапива
Обрядилась ярким перламутром
И, качаясь, шепчет шаловливо:
«С добрым утром!»

И. С. Никитин

* * *

Ярко звёзд мерцанье
В синеве небес;
Месяца сиянье
Падает на лес.

В зеркало залива
Сонный лес глядит;
В чаще молчаливой
Темнота лежит.

Слышен меж кустами
Смех и разговор;
Жарко косарями
Разведён костёр.

По траве высокой,
С цепью на ногах,
Бродит одиноко
Белый конь впотьмах.

Вот уж песнь заводит
Песенник лихой.
Из кружка выходит
Парень молодой.

Шапку вверх кидает,
Ловит — не глядит,
Пляшет-приседает,
Соловьём свистит.

Песне отвечает
Коростель в лугах,
Песня замирает
Далеко в полях...

Золотые нивы,
Гладь и блеск озёр.
Светлые заливы,
Без конца простор,

Звёзды над полями,
Глушь да камыши...
Так и льются сами
Звуки из души!

И. А. Бунин

* * *

Гаснет вечер, даль синеет,
Солнышко садится,
Степь да степь кругом — и всюду
Нива колосится!
Пахнет мёдом, зацветает
Белая гречиха...
Звон к вечерне из деревни
Долетает тихо...
А вдали кукушка в роще
Медленно кукует...
Счастлив тот, кто на работе
В поле заночует!

Гаснет вечер, скрылось солнце.
Лишь закат краснеет...

Счастлив тот, кому зарёю
Тёплый ветер веет;
Для кого мерцают кротко,
Светятся с приветом
В тёмном небе тёмной ночью
Звёзды тихим светом;
Кто устал на ниве за день
И уснёт глубоко
Мирным сном под звёздным небом
На степи широкой!

С. А. Есенин

* * *

Топи да болота,
Синий плат небес.
Хвойной позолотой
Взвенивает лес.

Тенькает синица
Меж лесных кудрей,
Тёмным елям снится
Гомон косарей.

По лугу со скрипом
Тянется обоз —
Суховатой липой
Пахнет от колёс.

Слухают ракиты
Посвист ветряной...
Край ты мой забытый,
Край ты мой родной!..

И.А. Бунин

ИЗ ОКНА

Ветви кедра — вышивки зелёным
Тёмным плюшем, свежим и густым,
А за плюшем кедра, за балконом —
Сад прозрачный, лёгкий, точно дым:

Яблони и сизые дорожки,
Изумрудно-яркая трава,
На берёзах — серые серёжки
И ветвей плакучих кружева,

А на клёнах — дымчато-сквозная
С золотыми мушками вуаль,
А за ней — долинная, лесная,
Голубая, тающая даль.

61

Н. А. Некрасов

КОНЕЦ ЛЕТА

Вся овощь огородная
Поспела: дети носятся
Кто с репой, кто с морковкою,
Подсолнечник лущат,
А бабы свёклу дёргают,
Такая свёкла добрая!
Точь-в-точь сапожки красные
Лежат на полосе.

Осень

И.А. Бунин

Листопад

Лес, точно терем расписной,
Лиловый, золотой, багряный,
Весёлой, пёстрою стеной
Стоит над светлою поляной.

Берёзы жёлтою резьбой
Блестят в лазури голубой,
Как вышки, ёлочки темнеют,
А между клёнами синеют
То там, то здесь в листве сквозной

Просветы в небо, что оконца.
Лес пахнет дубом и сосной,
За лето высох он от солнца,
И Осень тихою вдовой
Вступает в пёстрый терем свой...

С. Д. Дрожжин

* * *

Миновало лето,
Солнце из-за туч
С ласковым приветом
Не бросает луч;
Листья облетели
Средь осенних вьюг,
Птички улетели
На далёкий юг;
На дворе, и в поле,
И в глуши лесов
Не слыхать их боле
Звонких голосов.

А. С. Пушкин

(Из романа «Евгений Онегин»)

Уж небо осенью дышало,
Уж реже солнышко блистало,
Короче становился день,
Лесов таинственная сень
С печальным шумом обнажалась,

Ложился на поля туман,
Гусей крикливых караван
Тянулся к югу: приближалась
Довольно скучная пора;
Стоял ноябрь уж у двора.

Ф. И. Тютчев

* * *

Есть в осени первоначальной
Короткая, но дивная пора —
Весь день стоит как бы хрустальный,
И лучезарны вечера...

Где бодрый серп гулял и падал колос,
Теперь уж пусто всё — простор везде, —
Лишь паутины тонкий волос
Блестит на праздной борозде.

Пустеет воздух, птиц не слышно боле,
Но далеко ещё до первых зимних бурь.
И льётся чистая и тёплая лазурь
На отдыхающее поле...

С. Д. Дрожжин

* * *

Жёлтый лист за листом
Опадает с ветвей;
С неба солнце кругом
Стало греть холодней.
По раздольным полям
Буйный ветер шумит,
Осень тёмная к нам
Чёрной птицей летит...

С. А. Есенин

* * *

Нивы сжаты, рощи голы,
От воды туман и сырость.
Колесом за сини горы
Солнце тихое скатилось.

Дремлет взрытая дорога.
Ей сегодня примечталось,
Что совсем-совсем немного
Ждать зимы седой осталось.

Ах, и сам я в чаще звонкой
Увидал вчера в тумане:
Рыжий месяц жеребёнком
Запрягался в наши сани.

И. А. Бунин

* * *

Осень. Чащи леса.
Мох сухих болот.
Озеро белесо.
Бледен небосвод.

Отцвели кувшинки,
И шафран отцвёл.
Выбиты тропинки,
Лес и пуст, и гол.

Только ты красива,
Хоть давно суха,
В кочках у залива
Старая ольха.

Женственно глядишься
В воду в полусне —
И засеребришься
Прежде всех к весне.

Н. А. Некрасов

* * *

Славная осень! Здоровый, ядрёный
Воздух усталые силы бодрит;
Лёд неокрепший на речке студёной
Словно как тающий сахар лежит;

Около леса, как в мягкой постели,
Выспаться можно — покой и простор!
Листья поблёкнуть ещё не успели,
Жёлты и свежи лежат, как ковёр...
Славная осень! Морозные ночи,
Ясные, тихие дни...

А. А. Блок

ЗАЙЧИК

Маленькому зайчику
На сырой ложбинке
Прежде глазки тешили
Белые цветочки...

Осенью расплакались
Тонкие былинки,
Лапки наступают
На жёлтые листочки.

Хмурая, дождливая
Наступила осень.
Всю капусту сняли,
Нечего украсть...

Бедный зайчик прыгает
Возле мокрых сосен,
Страшно в лапы волку
Серому попасть...

Думает о лете,
Прижимает уши,
На небо косится —
Неба не видать...

Только б потеплее,
Только бы посуше —
Очень неприятно
По воде ступать.

ЗИМА

И. А. Бунин

ПЕРВЫЙ СНЕГ

Зимним холодом пахнуло
На поля и на леса.
Ярким пурпуром зажглися
Пред закатом небеса.

Ночью буря бушевала,
А с рассветом на село,
На поля, на сад пустынный
Первым снегом понесло...

И сегодня над широкой
Белой скатертью полей
Мы простились с запоздалой
Вереницею гусей.

А.С. Пушкин

(Из романа «Евгений Онегин»)

Вот север, тучи нагоняя,
Дохнул, завыл — и вот сама
Идёт волшебница зима.

Пришла, рассыпалась; клоками
Повисла на суках дубов;
Легла волнистыми коврами
Среди полей, вокруг холмов;
Брега с недвижною рекою
Сровняла пухлой пеленою;
Блеснул мороз. И рады мы
Проказам матушки зимы.

С.Д. Дрожжин

* * *

Снег летает и сверкает
В золотом сиянье дня.
Словно пухом устилает
Все долины и поля...

Всё в природе замирает:
И поля, и тёмный лес.
Снег летает и сверкает,
Тихо падая с небес.

С.А. Есенин

БЕРЁЗА

Белая берёза
Под моим окном
Принакрылась снегом,
Точно серебром.

На пушистых ветках
Снежною каймой
Распустились кисти
Белой бахромой.

И стоит берёза
В сонной тишине,
И горят снежинки
В золотом огне.

А заря, лениво
Обходя кругом,
Обсыпает ветки
Новым серебром.

И. А. Бунин

МЕТЕЛЬ

Ночью в полях, под напевы метели,
Дремлют, качаясь, берёзки и ели...
Месяц меж тучек над полем сияет, —
Бледная тень набегает и тает...
Мнится мне ночью: меж белых берёз
Бродит в туманном сиянье Мороз.

99

Ночью в избе, под напевы метели,
Тихо разносится скрип колыбели...
Месяца свет в темноте серебрится —
В мёрзлые стёкла по лавкам струится...
Мнится мне ночью: меж сучьев берёз
Смотрит в безмолвные избы Мороз.

Мёртвое поле, дорога степная!
Вьюга тебя заметает ночная,
Спят твои сёла под песни метели,
Дремлют в снегу одинокие ели...
Мнится мне ночью: не степи кругом —
Бродит Мороз на погосте глухом...

Н. А. Некрасов

МОРОЗ-ВОЕВОДА

Не ветер бушует над бором,
Не с гор побежали ручьи,
Мороз-воевода дозором
Обходит владенья свои,

Глядит — хорошо ли метели
Лесные тропы занесли,
И нет ли где трещины, щели,
И нет ли где голой земли?

Пушисты ли сосен вершины,
Красив ли узор на дубах?
И крепко ли скованы льдины
В великих и малых водах?

Идёт — по деревьям шагает,
Трещит по замёрзлой воде,
И яркое солнце играет
В косматой его бороде...

Забравшись на сосну большую,
По веточкам палицей бьёт
И сам про себя удалую,
Хвастливую песню поёт:

«Метели, снега и туманы
Покорны морозу всегда,
Пойду на моря-окияны —
Построю дворцы изо льда.

Задумаю — реки большие
Надолго упрячу под гнёт,
Построю мосты ледяные,
Каких не построит народ.

Где быстрые, шумные воды
Недавно свободно текли —
Сегодня прошли пешеходы,
Обозы с товаром прошли...

Богат я, казны не считаю,
А всё не скудеет добро;
Я царство моё убираю
В алмазы, жемчуг, серебро...»

С.А. Есенин

ПОРОША

Еду. Тихо. Слышны звоны
Под копытом на снегу,
Только серые вороны
Расшумелись на лугу.

Заколдован невидимкой,
Дремлет лес под сказку сна,
Словно белою косынкой
Подвязалася сосна.

Понагнулась, как старушка,
Оперлася на клюку,
А над самою макушкой
Долбит дятел на суку.

Скачет конь, простору много,
Валит снег и стелет шаль.
Бесконечная дорога
Убегает лентой вдаль.

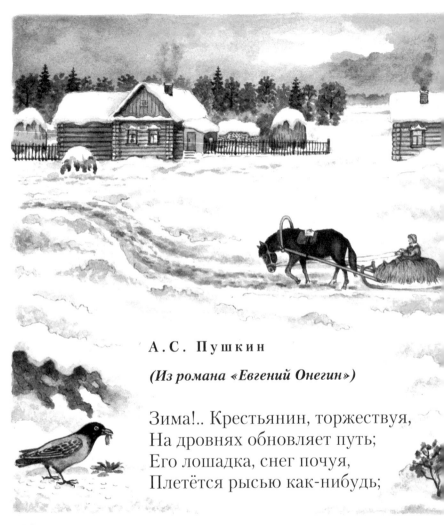

А.С. Пушкин

(Из романа «Евгений Онегин»)

Зима!.. Крестьянин, торжествуя,
На дровнях обновляет путь;
Его лошадка, снег почуя,
Плетётся рысью как-нибудь;

Бразды пушистые взрывая,
Летит кибитка удалая;
Ямщик сидит на облучке
В тулупе, в красном кушаке.
Вот бегает дворовый мальчик,
В салазки *жучку* посадив,
Себя в коня преобразив;
Шалун уж заморозил пальчик:
Ему и больно и смешно,
А мать грозит ему в окно...

Н. А. Некрасов

МУЖИЧОК С НОГОТОК

Однажды, в студёную зимнюю пору,
Я из лесу вышел; был сильный мороз.
Гляжу, поднимается медленно в гору
Лошадка, везущая хворосту воз.

И, шествуя важно, в спокойствии чинном,
Лошадку ведёт под уздцы мужичок
В больших сапогах, в полушубке овчинном,
В больших рукавицах... а сам с ноготок!

«Здорово, парнище!» — «Ступай себе мимо!» —
«Уж больно ты грозен, как я погляжу!
Откуда дровишки?» — «Из лесу, вестимо;
Отец, слышишь, рубит, а я отвожу».
(В лесу раздавался топор дровосека.)
«А что, у отца-то большая семья?» —
«Семья-то большая, да два человека
Всего мужиков-то: отец мой да я...» —
«Так вон оно что! А как звать тебя?» —
«Власом».
«А кой тебе годик?» — «Шестой миновал...
Ну, мёртвая!» — крикнул малюточка басом,
Рванул под уздцы и быстрей зашагал.

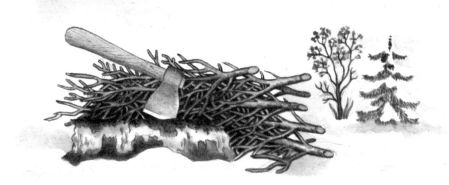

А. А. Фет

* * *

Мама! глянь-ка из окошка, —
Знать, вчера недаром кошка
Умывала нос:
Грязи нет, весь двор одело,
Посветлело, побелело —
Видно, есть мороз.

Не колючий, светло-синий
По ветвям развешан иней —
Погляди хоть ты!

Словно кто-то тароватый
Свежей, белой, пухлой ватой
Все убрал кусты.

Уж теперь не будет спору:
За салазки, да и в гору
Весело бежать!
Правда, мама? Не откажешь,
А сама, наверно, скажешь:
«Ну, скорей гулять!»

А.С. Пушкин

(Из романа «Евгений Онегин»)

Встаёт заря во мгле холодной;
На нивах шум работ умолк;
С своей волчихою голодной
Выходит на дорогу волк;

Его почуя, конь дорожный
Храпит — и путник осторожный
Несётся в гору во весь дух;
На утренней заре пастух
Не гонит уж коров из хлева,
И в час полуденный в кружок
Их не зовёт его рожок;
В избушке распевая, дева
Прядёт, и, зимних друг ночей,
Трещит лучинка перед ней.

А. А. Блок

ВЕТХАЯ ИЗБУШКА

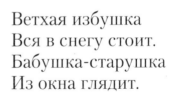

Ветхая избушка
Вся в снегу стоит.
Бабушка-старушка
Из окна глядит.

Внукам-шалунишкам
По колено снег.
Весел ребятишкам
Быстрых санок бег...

118

Бегают, смеются,
Лепят снежный дом,
Звонко раздаются
Голоса кругом...

В снежном доме будет
Резвая игра...
Пальчики застудят —
По домам пора!..

Завтра выпьют чаю,
Глянут из окна, —
Ан, уж дом растаял,
На дворе — весна!

С . А . Е с е н и н

* * *

Поёт зима — аукает,
Мохнатый лес баюкает
Стозвоном сосняка.
Кругом с тоской глубокою
Плывут в страну далёкую
Седые облака.

А по двору метелица
Ковром шелковым стелется,
Но больно холодна.
Воробышки игривые,
Как детки сиротливые,
Прижались у окна.

Озябли пташки малые,
Голодные, усталые,
И жмутся поплотней.
А вьюга с рёвом бешеным
Стучит по ставням свешенным
И злится всё сильней.

И дремлют пташки нежные
Под эти вихри снежные
У мёрзлого окна.
И снится им прекрасная,
В улыбках солнца ясная
Красавица весна.

Указатель

СОДЕРЖАНИЕ

Д 44   **Дивная** пора. Лучшие стихотворения русских поэтов о природе / Рис.
Г. Целищева. – М.: Эксмо, 2008. – 128 с.: ил.

УДК 82-1-93
ББК 84(2Рос-Рус)6-5

© Г. Д. Целищев, иллюстрации, 2004
© ООО «Издательство «Эксмо», 2008

ISBN 978-5-699-08426-5

Литературно-художественное издание

Для чтения взрослыми детям

ДИВНАЯ ПОРА
Лучшие стихотворения русских поэтов о природе

Рисунки *Геннадия Целищева*

Ответственный редактор *Л. Кондрашова*
Художественный редактор, дизайн переплета *И. Сауков*
Компьютерная графика *А. Мащуков*
Технические редакторы *О. Кистерская, М. Печковская*
Компьютерная верстка *Д. Фирстов*
Корректор *О. Ямщикова*

ООО «Издательство «Эксмо»
127299, Москва, ул. Клары Цеткин, д. 18/5. Тел. 411-68-86, 956-39-21.
Home page: **www.eksmo.ru** E-mail: **info@eksmo.ru**

Подписано в печать 26.05.2008.
Формат 70×120 $^1/_{32}$. Гарнитура «Петербург». Печать офсетная. Бум. офс. Усл. печ. л. 6,24.
Доп. тираж 6000 экз. Заказ № 1478.

Отпечатано с электронных носителей издательства.
ОАО "Тверской полиграфический комбинат", 170024, г. Тверь, пр-т Ленина, 5.
Телефон: (4822) 44-52-03, 44-50-34, Телефон/факс: (4822) 44-42-15
Home page - www.tverpk.ru Электронная почта (E-mail) -sales@tverpk.ru